FRENCH PICTORIAL

By the same author

A Vous le Choix!
Understanding French

French Pictorial Composition

A practical course for G.C.E. and C.S.E. candidates

MARGARET COULTHARD
M.A. (Oxon.)
Head of Lampton School, Hounslow

Illustrated by ffolkes

HUTCHINSON OF LONDON

HUTCHINSON & Co (Publishers) LTD
3 Fitzroy Square, London W1

London Melbourne Sydney Auckland
Wellington Johannesburg and agencies
throughout the world

First published 1965
Seventh impression 1979

Originally published as
'O' Level French Pictorial Composition

Set in Monotype Ehrhardt

Printed in Great Britain by litho by The Anchor Press Ltd
and bound by Wm Brendon & Son Ltd
both of Tiptree, Essex

ISBN 0 09 101661 4

To
TIGGER
who always helps

Contents

Preface

Self-expression should be the chief aim in learning any living language, and one of the best ways of developing this is through composition based primarily on pictures and questions. This book is intended as a practical course for anyone who has studied French for two or three years. Its purpose is to link the visual image with the spoken and written word.

Part I offers some guidance in finding what to say and how to say it; Part II contains ten general scenes to describe and Part III forty incidents to narrate. Weakness in composition arises as much from lack of imagination and lack of natural phrases and vocabulary as from grammatical inaccuracy. The descriptive section should help to provide background for the incidents in the narrative section, and answers to the questions should act as stepping-stones to free composition. Both sections are based on aspects of everyday life within the general experience or at least the understanding of most boys and girls. Below the pictures are lists of words to supplement those used in the questions themselves. The French-English Vocabulary at the end of the book contains the most important words and phrases from both lists and questions. In Part II easy essay-subjects are suggested as well as harder ones. In both Part II and Part III skeleton-plans for essays are sometimes given. There is a deliberate variety in the tenses and persons used. Ten test-pictures are included.

In this book I have tried to provide material useful for oral composition, written composition, vocabulary-building. Careful, regular and systematic practice can lead to enjoyment and a sense of achievement; with the stimulus of pictures, questions and special vocabulary-lists nearly every pupil can be encouraged to produce some creative work.

I should like to thank my colleague, Miss E. G. Barr, for her invaluable help, and ffolkes, for his lively interpretation of my suggestions for the illustrations.

M. C.

PART ONE

PREPARATION

General Principles

G.C.E. and C.S.E. French Pictorial Composition Tests do not vary very much in their requirements.

An English or French title is often given as a guide.

Usually three or four pictures tell a simple and sometimes amusing story.

The length of the essay is normally 140–160 words for G.C.E., 100–120 words for C.S.E.

If a skeleton-plan is given, follow it carefully.

If no plan is given, make one, even if it is only basic: introduction, main points, conclusion.

Decide on length of paragraphs; each picture may or may not represent a paragraph.

Say only what you feel you know how to say: be careful in your use of vocabulary, grammar and syntax.

Method of Approach

Try to think in French. Never write an essay in English and then attempt to translate it into French.

If questions are given, study them as a guide for tenses, use of prepositions, vocabulary and idiomatic phrase.

Be clear, logical, comprehensive:

> Décrivez la scène
>
> Indiquez les personnes
>
> Racontez les incidents

Be sure of the complete story first.

The composition may be descriptive or narrative, or both.

Consider the single picture as a whole, the series of pictures as a unity: La scène se passe... Les images représentent... Then study sections of each picture for details.

Ask yourself in French WHO, WHEN, WHERE, WHY, WHAT, HOW. Remember the following words and phrases:

(i) Interrogative Pronouns

Qui	=	who, whom (subject; object; after preposition)
Qu'est-ce qui	=	what (subject)
Que	=	what (object)
Quoi	=	what (after preposition)
Lequel, etc.	=	which, which one (subject; object; after preposition)

e.g. Qui (Qui est-ce qui) arrive? Who is arriving?

Qu'est-ce qui arrive? What is arriving (happening)?

Qui voyez-vous? Whom can you see?

Que voyez-vous? What can you see?

A qui pense-t-il? Of whom is he thinking?

A quoi pense-t-il? Of what is he thinking?

Auquel des deux garçons parle-t-il? To which of the two boys is he speaking?

Note also Interrogative Adjective Quel, etc.

e.g. A quel moment?   At what moment?

Quel est cet homme?   Who (What) is this man?

(ii) Interrogative Adverbs

Quand   Où   Pourquoi   Comment

(iii) Interrogative Phrases

Qu'est-ce que l'image représente?

De quoi s'agit-il dans cette histoire?

Où est-ce que la scène se passe? Où se trouve le camion?

A quelle époque... Dans quel siècle... A quelle heure...

En quelle saison est-on? Par quel temps l'incident a-t-il lieu?

Combien de personnes y a-t-il? Quelles sont les personnes?

Comment est le soldat? Comment sont... Quel air a-t-il?

Que fait l'âne? Que font...

Qu'est-ce que (c'est que) ce paquet? Qu'y a-t-il dans le paquet?

A qui est la valise? A qui sont...

De quelle couleur est sa robe? De quelle couleur sont...

A quoi sert un couteau? A quoi servent...

(iv) Adverbial Phrases

au premier plan   au second plan   à l'arrière-plan, au fond   à droite, à gauche   au centre, au milieu   au loin

Development of Ideas

To make your composition more vivid expand basic ideas by the following means:

(i) Variety of Associations

Use your imagination to fill in the details often only suggested by the pictures.

In a series of narrative pictures the events are all-important but remember that the background, too, is useful. Try to visualize and describe the setting, the season, the time of day, the colours as well as the shapes.

Consider the number of people, their possible relationship to each other, their feelings, thoughts, actions and reactions.

Do not ignore their physical appearance, their clothes, the expressions on their faces, their actions and the manner in which they do them.

Place yourself or your friends or family in a similar situation and think what the effect would be on you or them at different stages of each incident.

Sometimes invent names for the characters and ask yourself how they would speak and what they would say.

(ii) Variety of Sentence-Structure

Use your knowledge of grammar, vocabulary and idiom to construct interesting sentences.

Vary the length of sentences but do not make them too complicated.
Be simple but not childish

e.g. Une dame entre dans la maison aux volets verts.
NOT Je vois une dame; il y a une maison; la maison a des volets verts.

Use relative clauses and generally avoid present participles

e.g. la dame qui achète un chapeau de paille...

les paniers que portaient les marchands...

Introduce adjectives, past participles and adverbial phrases

e.g. Un cheval robuste tire une charrette chargée de foin.

La flèche de l'église se dresse contre un ciel couvert.

Le paquebot tangue en pleine mer.

Avoid repetition, especially of colourless words and phrases such as avoir, il y a, être, se trouver, je vois.

Seek le mot juste; remember that there are other words besides beau, joli, grand, petit.

Make full use of verbs: even the verb 'to go' might be aller, accompagner, partir, entrer, rentrer, sortir, descendre, monter, border, longer, marcher...

Be precise whenever you can

e.g. l'aigle plane *rather than* l'oiseau vole

des platanes *rather than* des arbres

énorme, gigantesque, magnifique *rather than* grand

Revision

Remember that inaccurate French, however fluent, is useless.

Richness of vocabulary and variety of idiom must be supported by careful sentence-construction and grammatical accuracy.

Always check the following:

(i) Tenses
    (a) Consistent use of main narrative tense, whether Present, Perfect or Past Historic.
    (b) Use of Present or Imperfect for description, continuous action or habit.

(ii) Verb Forms
    (a) All parts of irregular verbs.
    (b) Infinitive after preposition.
    (c) Infinitive after verb other than avoir or être.

(iii) Use of Prepositions
    (a) Verbs with preposition before infinitive.
    (b) Verbs without preposition before infinitive.
    (c) Verbs with preposition before noun.
    (d) Verbs without preposition before noun.

(iv) Agreements
    (a) Verb with its subject.
    (b) Adjective with its noun or pronoun.
    (c) Past participle with a subject or preceding direct object.
    (d) Relative pronoun with its antecedent and the verb following.

(v) Order of Words
    (a) Position of adjectives.
    (b) Position of adverbs.
    (c) Position of pronouns.

PART TWO

DESCRIPTION

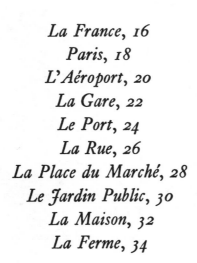

1 La France

Mots et Locutions

la Manche, la manche	la fabrique	la côte
ressembler à	la filature	le paysage
la marine	la mine de houille	le château
le port militaire	la fonderie	le monument
la frontière	la cathédrale	le musée
aimer la bonne chère	mourir sur le bûcher	la tapisserie
dans le nord	l'allemand (m)	les vitraux (m)
cultiver la vigne	l'espagnol (m)	un pays agricole
la région minière,	le flamand	la république
manufacturière	l'italien (m)	

1 La France

Répondez

1 Quelle mer faut-il traverser pour arriver en France? Savez-vous pourquoi elle a ce nom?

2 Quels sont les ports de mer français et anglais les plus proches l'un de l'autre?

3 Que savez-vous de Brest et de Marseille?

4 Nommez quelques chaînes de montagnes françaises et dites où elles se trouvent.

5 Nommez quelques grands fleuves de France. Dites où chacun prend sa source et dans quelle mer il se jette.

6 Tous les gastronomes savent apprécier le beurre et les fromages français, surtout ceux de la Normandie. Qu'est-ce qu'un gastronome? Où se trouve la Normandie?

7 Pourquoi les Français boivent-ils beaucoup de vin? Nommez une région célèbre par son vin.

8 Est-ce que la France a de grandes villes industrielles? Lesquelles?

9 Quelles villes de France vous rappellent Jeanne d'Arc? Pourquoi?

10 En quels pays voisins de la France parle-t-on français? Quelles sont les langues que parlent les habitants des autres pays voisins?

Rédaction

(i) Vous êtes un Américain en France. Racontez le circuit touristique que vous avez fait en quinze jours.

(ii) Discutez la variété de la France:
   (a) Géographie et climat
   (b) Agriculture et industrie
   (c) Civilisation: histoire, littérature, beaux-arts, cuisine

2 Paris

Mots et Locutions

pêcher	la gravure	l'ascenseur (m)
la canne à pêche	la basilique	la vue panoramique
gothique	jouir d'une réputation	courir les magasins (m)
impressionnant	mondiale	la station du Métro
la tour	les articles (m) de luxe	l'embarad ère (m)
la flèche	le parfum	la Ville Lumière
le roman	prendre l'air (m)	le reflet
faire une photographie	le boulevard	l'obscurité (f)
le bouquin	la terrasse	

2 Paris

Répondez

1 Dans quelle ville est-ce que cette scène se passe? En quelle saison?

2 Sur quel fleuve Paris est-il situé? Comment est ce fleuve?

3 Que vont faire les Parisiens qui s'approchent du quai inférieur? Qu'est-ce qu'ils tiennent à la main?

4 Quelle cathédrale se dresse au fond? Décrivez-la. Pourquoi nous fait-elle penser à Victor Hugo?

5 Que fait le touriste qui a un appareil photographique? Comment est-il habillé?

6 Décrivez les boîtes des bouquinistes. Qu'est-ce qu'on peut acheter à ceux-ci?

7 Quels sont les monuments de Paris que représentent les deux petits tableaux? En connaissez-vous d'autres? Où se trouve le tombeau de Napoléon? du soldat inconnu?

8 Dans quels quartiers de Paris habitent beaucoup de peintres? Dans quels musées peut-on admirer des tableaux et des statues bien connus?

9 Que savez-vous des grands couturiers parisiens?

10 Si vous étiez à Paris qu'est-ce que vous achèteriez? Où est-ce que vous prendriez l'air?

Rédaction

(i) Un coin de Paris au bord de la Seine

(ii) Quand j'irai à Paris:

    (a) Bonjour, Paris
    (b) Ascension de la tour Eiffel
    (c) Visite des monuments, des musées, des magasins, des parcs
    (d) Soirée au théâtre
    (e) Promenade en bateau-mouche
    (f) Au revoir, Paris

3 L'Aéroport

Mots et Locutions

l'avion (m) à réaction
le décollage
la passerelle
le parapluie
le pardessus
le sac à main
le bouquet de fleurs
l'autobus (m)

l'aérogare (f)
le haut-parleur
l'aile (f)
l'hélice (f)
s'installer
la ceinture de sécurité
boucler, déboucler
s'envoler

prendre de la hauteur
survoler
le nuage
virer
le trou d'air
faire escale à

3 L'Aéroport

Répondez

1 Qu'est-ce que l'image représente?

2 Comment savez-vous que c'est un aéroport important?

3 Où se trouve la tour de contrôle?

4 Pourquoi la pompe à incendie stationne-t-elle à côté de la piste d'atterrissage? Et le camion d'essence?

5 Quelle sorte d'avion vient d'atterrir?

6 Comment s'appelle ce célèbre avion français? Comment vole-t-il? Est-ce qu'un turbo-réacteur fait toujours beaucoup de bruit?

7 Qu'est-ce que les voyageurs descendent? Où se tient l'hôtesse de l'air? Pourquoi est-elle là?

8 Que portent les voyageurs à la main? Où sont leurs bagages?

9 Vers quoi se dirigent-ils? Où est-ce qu'on va les transporter?

10 Que feront-ils après avoir passé la douane?

11 Quels voyages avez-vous faits en avion? Craignez-vous le mal de l'air?

12 Voudriez-vous être pilote? navigateur? radio? hôtesse de l'air?

Rédaction

(i) L'arrivée d'un grand avion

(ii) Mon premier voyage en avion (*main tense : past historic, perfect or future*):

    (a) Préparatifs
    (b) Vol de jour ou vol de nuit —— envol
    (c) Incidents et impressions du voyage
    (d) Atterrissage.

4 La Gare

Mots et Locutions

le quai
cent kilomètres à l'heure
la raquette de tennis
le seau
la pelle
les vacances (f)
le vieillard
le guichet

pousser
tirer
la malle
la valise
le sac touriste
le fourgon à bagages
le chef de train
En voiture!

la salle d'attente
la consigne
l'horaire (m)
l'employé (m)
la portière
le compartiment
la locomotive

4 La Gare

Répondez

1 Quelle heure est-il? Où se trouvent tous ces gens?

2 Décrivez le train qui est en gare. De quelles sortes de wagons est-il composé? Que fait-on dans le wagon-restaurant? dans le wagon-lit? Est-ce un train de grande ligne ou un train de banlieue? Est-ce un rapide ou un omnibus? A quelle vitesse va-t-il rouler?

3 Décrivez la famille au premier plan à gauche. Les enfants ont-ils l'air joyeux? furieux? A quoi pensent-ils? Est-ce qu'ils vont à la mer? à la montagne?

4 Qui monte dans le train? Où a-t-il pris son billet? En quelle classe va-t-il voyager? Pourquoi porte-t-il des journaux?

5 Que fait le porteur qui a un chariot? Décrivez le tas de bagages dont le chariot est chargé. Où va-t-on mettre les bagages?

6 Qui signale à l'attention du mécanicien le moment précis du départ?

7 Qu'est-ce qu'on crie aux voyageurs?

8 Y a-t-il près de chez vous une gare ou une station de chemin de fer? Laquelle? Combien de fois par an faites-vous un voyage dans le train? dans l'autorail?

Rédaction

(i) Vous et votre ami(e) attendez le départ d'un train de grande ligne. Que voyez-vous tous (toutes) deux?

(ii) 'J'ai perdu mon billet!'

    (a) Votre premier voyage sans vos parents —— départ et première partie du voyage sans incident

    (b) Description de vos compagnons de voyage et de leurs bagages

    (c) Arrivée du contrôleur —— recherche vaine du billet perdu —— ce que dit le contrôleur —— ce que disent vos compagnons de voyage

    (d) Solution du problème: qui paie?

5 Le Port

Mots et Locutions

la falaise	la baleinière	la morue
guider	le hublot	le thon
le marin	le mât	tanguer
le paquebot	le pavillon	rouler
la passerelle de commandement	le filet	le bateau à rames
le pont	la tempête	débarquer
la cheminée	faire (une) bonne pêche	

5 Le Port

Répondez

1 Est-ce que vous regardez ce port de l'air ou de la mer?

2 La mer est-elle calme ou agitée?

3 Où se trouve le phare? A quoi sert-il?

4 Combien de jetées y a-t-il dans le port?

5 Quel est le grand bateau qui est amarré à gauche? Nommez plusieurs parties de ce navire. Comment s'appellent les embarcations qui se trouvent à bord?

6 Pourquoi les mouettes planent-elles au-dessus des bateaux de pêche?

7 Qu'est-ce qui sèche au soleil près des pêcheurs?

8 De quoi causent les pêcheurs? Quels poissons ont-ils rapportés?

9 Que fait le bateau à voiles? Comment vogue-t-il?

10 Que fait un bateau si la mer est agitée?

11 Êtes-vous sujet (sujette) au mal de mer, ou avez-vous le pied marin?

12 Dans quelle sorte de bateau aimez-vous le mieux vous promener?

Rédaction

(i) Un port de mer que vous connaissez ou que vous voudriez visiter

(ii) Une croisière sur la mer Méditerranée

6 La Rue

Mots et Locutions

l'embouteillage (m)
l'agent (m) de police
le carrefour
l'automobile (f)
l'autocar (m)
la charge
le colis
protéger

le boulanger
le laitier
le boucher
le papetier
le vendeur
le client difficile
le trottoir
le passage clouté

la méfiance
la branche
la feuille
le réverbère
animé
l'usager (m) de la route
entrer en collision

6 La Rue

Répondez

1 Qu'est-ce que cette rue traverse?

2 Qu'est-ce qui arrive si la circulation est intense, surtout aux heures d'affluence?

3 Qui est-ce qui règle la circulation? Où se tient-il?

4 Les voitures roulent-elles à droite ou à gauche?

5 Quelles sortes de voitures voyez-vous? Que peut transporter un camion? une camionnette?

6 Comment sont les bâtiments dans lesquels les magasins sont situés? Combien d'étages ont-ils? A quoi servent les volets?

7 Chez qui peut-on acheter du pain? du beurre? de la viande? du papier à lettres?

8 Qu'est-ce qui se vend au kiosque?

9 A qui s'adresse-t-on pour faire un achat? Pourquoi la vie d'une vendeuse n'est-elle pas toujours agréable?

10 Où marchent les piétons? De quoi devraient-ils se servir pour traverser la rue? Quels sentiments éprouvent-ils à l'égard des automobilistes?

Rédaction

(i) Décrivez la scène dans la rue:

      (a) La saison —— le temps qu'il fait —— les platanes
      (b) La chaussée —— les voitures —— la circulation
      (c) Les bâtiments —— les magasins —— les bureaux
      (d) Les piétons

(ii) Monologue intérieur d'un agent de police qui règle la circulation

7 La Place du Marché

Mots et Locutions

le filet (à provisions)	le chapelet d'oignons	bruyant
le panier	le tas	cueillir
la corbeille	le marchand de volaille	arracher
la caisse	le couperet	lier
la balance	la cliente	l'œuf (m)
salir	le supermarché	le beurre
l'ail (m)	au moment des soldes	le fromage
la botte de carottes	la charrette à bras	marchander

7 La Place du Marché

Répondez

1 Où est-ce que beaucoup de bonnes ménagères font leurs emplettes? Dans quoi mettent-elles leurs achats?

2 De quoi la place est-elle encombrée?

3 De quoi les grands parasols garantissent-ils les étalages des marchands?

4 Qui passe devant les étalages?

5 Pourquoi les marchands crient-ils à tue-tête?

6 De quoi se servent-ils pour peser leurs marchandises?

7 Pourquoi les marchandes portent-elles un tablier?

8 Où se trouve l'étalage de légumes? Qu'est-ce qu'on y voit?

9 Qui tient un poulet à la main gauche? Que tient-il à la main droite? Qui est-ce qui le regarde?

10 Où voyez-vous des casseroles, des poêles à frire, des cafetières?

11 Où est-ce que votre mère fait son marché? dans les magasins du quartier ou ailleurs?

12 Quand peut-on acheter des articles à bon marché?

Rédaction

(i) Décrivez la place du marché représentée dans cette image

(ii) Décrivez un jour de marché du point de vue d'un paysan ou d'un maraîcher:

    (a) Préparation des denrées et moyens de transportation au marché
    (b) Installation sur la place; ouverture du marché
    (c) Vente des denrées; rencontre de connaissances et de clients
    (d) Fin du marché; retour à la campagne

8 Le Jardin Public

Mots et Locutions

le parterre	le marchand de glaces	prendre plaisir à
le banc de pierre	la vanille	l'oiseau (m)
la chaisière	la fraise	la bête
l'avis (m)	la framboise	cueillir des fleurs
'Pelouse interdite'	la pistache	philosophe
le jardinier	en plein air	la sacoche
sauter à la corde	préférer la solitude	à l'ombre
le jet d'eau	la société	agréable

8 Le Jardin Public

Répondez

1 Si on demeure dans une ville, où peut-on s'amuser, se détendre, ou se promener sous les arbres?

2 De quoi l'allée est-elle bordée?

3 Sur quoi peut-on s'asseoir? A qui est-ce qu'on paie les chaises?

4 Comment savez-vous qu'il n'est pas permis aux passants de marcher sur le gazon? Qui est-ce qui tond le gazon? combien de fois par semaine?

5 Qui a lancé un cerf-volant?

6 Que fait la fillette tout près?

7 Qui surveille les petits yachts qui voguent sur l'eau du bassin? Qu'est-ce qu'il y a au milieu du bassin?

8 Que fait la mère du petit enfant? Pourquoi l'enfant est-il heureux? De quelle couleur est son ballon?

9 A qui achète-t-on des glaces? A quoi sont-elles parfumées?

10 Aimez-vous mieux vous promener dans un jardin public ou en pleine campagne? Pourquoi?

Rédaction

(i) Une promenade dans un jardin public

(ii) Décrivez le jardin public du point de vue de l'enfant au ballon ou de la chaisière

9 La Maison

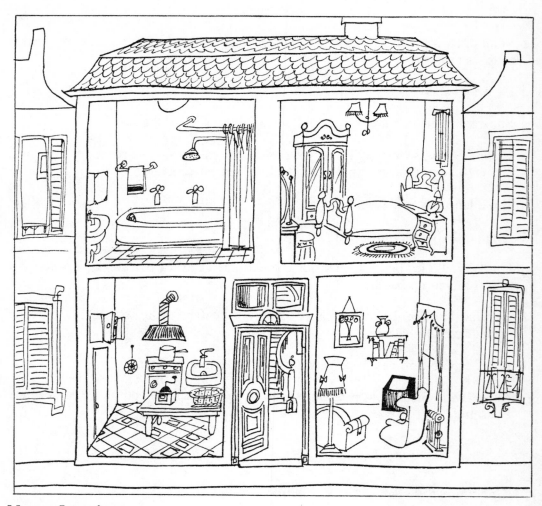

Mots et Locutions

le vestibule
l'escalier (m)
l'évier (m)
la cuisinière (à gaz)
le réfrigérateur
le placard
la baignoire
le lit
le fauteuil
le téléviseur
le moulin à café

le panier à salade
faire sa toilette
le lavabo
le robinet
la douche
la serviette (de toilette)
le porte-serviettes
le pain de savon
l'éponge (f)
la brosse à dents
la commode

la table de toilette
l'armoire (f)
la descente de lit
réveiller
le rideau
le tapis
la carpette
la bibliothèque
le lampadaire
faire le ménage

9 La Maison

Répondez

1 Combien d'étages cette maison a-t-elle?

2 Le toit qui la recouvre est-il fait de tuiles, d'ardoises, ou de chaume?

3 Dans quelle partie de la maison passe-t-on après avoir ouvert la porte d'entrée?

4 Quelles pièces se trouvent au rez-de-chaussée? au premier étage? Qu'est-ce qu'on monte pour arriver en haut?

5 A quoi reconnaît-on la cuisine? la salle de bains? la chambre? Est-ce que la quatrième pièce est le salon, la salle à manger, ou la salle de séjour? Comment le savez-vous?

6 Y a-t-il dans la cuisine des objets qu'on ne trouve pas dans la plupart des cuisines anglaises? Lesquels?

7 Que voit-on dans la salle de bains? De quoi se sert-on pour se laver les dents?

8 Quels meubles y a-t-il dans la chambre? Sur quoi pose-t-on le pied quand on sort du lit? A quoi sert un réveille-matin?

9 La maison est-elle chauffée au charbon? au gaz? à l'électricité? au mazout?

10 Est-ce que vous habitez une maison ou un appartement? Avez-vous le chauffage central chez vous?

Rédaction

(i) Décrivez en détail ou une cuisine ou un salon

(ii) Les avantages et les inconvénients de vivre dans un appartement

10 La Ferme [examen]

Mots et Locutions

la basse-cour	atteler	la truie
donner à manger à	la fourche	la barrière
picorer	la grange à foin	le porcelet
l'étable (f)	la porcherie	la queue en tire-bouchon

Rédaction (140–160 mots)

(i) Décrivez cette ferme

(ii) Un fermier (une fermière) raconte une journée de sa vie (*main tense*: *perfect*)

PART THREE

NARRATION

11 Dans le jardin potager

Mots et Locutions

cultiver son jardin
les cheveux frisés
le jardinage
le chou

le marchand de légumes
rester bouche bée
la brouette
à la hâte

bêcher
s'occuper de
sommeiller
le transat

planter en rangs
venir d'acheter
retourner le sol
rattraper le temps perdu

11 Dans le jardin potager

Répondez

1 De quoi s'agit-il dans cette histoire?

2 Le monsieur à la tête chauve s'appelle Jacques Lefèvre. Décrivez son voisin qui s'appelle Henri Dupont.

3 De quoi parlent-ils?

4 Qu'est-ce que Lefèvre regarde d'un œil d'envie?

5 Quel est le résultat immédiat de leur conversation? Où Dupont se repose-t-il?

6 Chez quel marchand Lefèvre va-t-il?

7 Qu'est-ce qu'il décide d'acheter? Quel est l'effet de sa demande sur le marchand?

8 Comment transporte-t-il ses achats chez lui?

9 Comment transforme-t-il son jardin?

10 Lequel des deux jardiniers prend ensuite ses aises? Qu'est-ce que l'autre jardinier se met à faire?

Rédaction

Écrivez l'histoire qui se passe dans ces deux jardins potagers:

(a) Description des jardins et des jardiniers
(b) Les sentiments des deux amis
(c) La ruse de Lefèvre
(d) Celui qui travaille dur ne l'emporte pas toujours

12 Dans la cuisine

Mots et Locutions

jouer au ping-pong
le chat tigré
superbe
l'œil luisant
le poil lisse
taper la balle
se précipiter sur

curieux
bondir
faire tomber

l'œuf (m)
la patte
ronronner

se casser
rire aux éclats
mécontent
effrayé
déçu
la queue en panache
le poil hérissé

12 Dans la cuisine

Répondez

1 A quoi les enfants s'amusent-ils?

2 Qui prend part à leur jeu et chasse leur balle?

3 Le chat s'appelle Tigui. Décrivez-le.

4 D'où revient la mere?

5 Qu'est-ce qu'elle a mis sur la table de la cuisine?

6 Pourquoi le chat regarde-t-il la mère, l'air songeur et câlin?

7 Comment est-ce qu'il essaie de se faire remarquer?

8 Une fois resté seul où monte-t-il?

9 Qu'est-ce qu'il croit reconnaître dans le bol?

10 Quelle est la catastrophe qui survient?

11 La mère est-elle fâchée?

12 Quels sont les sentiments de Tigui?

Rédaction

Le crime d'un chat favori:

    (a) La famille s'amuse
    (b) Retour du marché —— câlineries du chat
    (c) Tigui, champion de ping-pong —— le service canon
    (d) L'inattendu est souvent amusant

13 Dans la chambre du malade

Mots et Locutions

tomber malade
avoir mal à la gorge
avoir la fièvre
le pot de tulipes
tâter le pouls (à)

tendre l'oreille
se pencher
à la dérobée
vider
sans laisser tomber une goutte

aller chez le pharmacien
la cuillerée
le médicament, la potion
avoir horreur de
le goût amer

plongé dans un livre d'aventures
à moitié mort
la feuille
la tige
languissant

40

13 Dans la chambre du malade

Répondez

1 Pourquoi le petit Paul était-il dans son lit?

2 Qu'est-ce qu'il y avait sur la table de chevet?

3 Où se tenait la mère de Paul?

4 Qu'est-ce que le médecin a fait après avoir ausculté l'enfant?

5 Qu'est-ce que la mère a fait après le départ du médecin?

6 Rentrée dans la chambre du malade, qu'a-t-elle versé dans un verre?

7 Pourquoi son fils faisait-il la grimace?

8 Où a-t-il jeté le contenu du verre quand il était seul?

9 Quand sa mère est revenue une heure plus tard, que faisait Paul?

10 Comment étaient les tulipes?

Rédaction

'Ce qui guérit l'un tue l'autre.' Racontez ce qui est arrivé dans la chambre du malade.

14 Dans la salle de bains

Mots et Locutions

la jupe plissée
la chemisette (à manches courtes)
ouvrir le robinet
le short
le tricot à rayures

le salon
le canapé
la mode
la modiste
le couturier

le coup de sonnette
sonner à la porte
le carton à chapeau
en auto
la conduite intérieure

la baignoire
déborder
faire rejaillir
presser une éponge
le canard en caoutchouc

14 Dans la salle de bains

Répondez

1 Où était la maman de Pierrot? Comment était-elle habillée? Que faisait-elle?

2 Qui la regardait? Que portait-il?

3 Qu'est-ce qui s'est fait entendre?

4 Qui attendait à la porte d'entrée? Qu'est-ce qu'elle tenait à la main droite?

5 Comment était-elle venue? Quelle sorte d'auto était-ce?

6 Où est-ce que la mère de Pierrot a fait entrer son amie?

7 Sur quoi se sont-elles assises? Sur quoi ont-elles commencé à parler longuement?

8 Qu'est-ce qui arrivait dans la salle de bains?

9 Que faisait Pierrot sur le plancher?

10 Qu'est-ce qui flottait près de lui?

Rédaction

Racontez l'histoire de l'inondation de la salle de bains:

    (a) On a ouvert les robinets
    (b) On a ouvert la porte d'entrée
    (c) On a ouvert le carton à chapeau
    (d) On a oublié Pierrot

15 Dans le salon [examen]

Mots et Locutions

l'oiselier (m)	tricoter	l'écran (m)
la tourterelle	regarder la télévision	s'échapper
la cage	le prestidigitateur	perché sur le téléviseur
les pantoufles (f)	le chapeau haut de forme	se réveiller en sursaut
le cigare	s'assoupir	s'imaginer

Rédaction (140–160 mots)

Le mystère de la tourterelle

16 Dans la salle de classe [examen]

Mots et Locutions

l'instituteur (m)
la croisée
montrer du doigt
le vase

la branche de marronnier
tourner le dos (à)
écrire au tableau noir
l'âne (m)

saisir
s'éloigner
se tordre de rire
ébahi

Rédaction (140–160 mots)

Une leçon de botanique

17 Dans le laboratoire

Mots et Locutions

la blouse
le professeur de chimie
expliquer
l'expérience (f)

feuilleter
le motocyclisme
le tabouret
tout bouillant

semblable
l'appareil (m)
le trépied
l'éprouvette (f)

sauter
en l'air
avoir peur
être en colère

17 Dans le laboratoire

Répondez

1 Où sont les lycéens? Que portent-ils?

2 Qui regardent-ils? Pourquoi?

3 Qu'est-ce que les élèves se mettent à faire une fois retournés à leur place?

4 Qu'est-ce qu'ils ont sur la paillasse? Pourquoi se servent-ils du bec Bunsen?

5 A quoi passent-ils le temps, au lieu de continuer à surveiller les ballons?

6 Sur quoi l'un des deux garçons est-il assis? Où se tient l'autre?

7 Que devient le liquide qui chauffe dans les ballons?

8 Qu'est-ce qui arrive à la fin?

9 Où sont les morceaux de verre? et le magazine?

10 Quels sont les sentiments des élèves? du professeur?

Rédaction

Racontez l'histoire sous le titre: 'C'est l'expérience qui compte':
  (a) La scène
  (b) Les personnages
  (c) L'action
  (d) La morale

18 Dans la cour de récréation

Mots et Locutions

faire de la gymnastique
les exercices d'assouplissement (m)
l'institutrice (f)

le rang
se courber
la tête baissée
donner un coup de corne

le bouc
évadé
le chemin
la grille

se heurter (contre)
tomber par terre
menacer du poing
crier au secours

18 Dans la cour de récréation

Répondez

1 Où était-on?

2 Que faisaient les élèves dans la cour de récréation?

3 Qui leur montrait comment faire les exercices?

4 Qu'est-ce qui regardait fixement les fillettes?

5 D'où était-il venu?

6 Où se tenait-il à l'insu de toute la classe?

7 Quand s'est-il approché de sa victime?

8 Qu'est-ce qu'il était sur le point de faire?

9 Qu'est-ce qui est arrivé par suite de son action?

10 Qu'est-ce que l'institutrice a fait?

Rédaction

Mettez-vous à la place de la petite fille qui a reçu le coup de corne. Racontez les souvenirs que vous avez gardés de ce jour.

19 Dans le réfectoire

Mots et Locutions

dîner	donner un coup de coude à
le couteau (de table)	la souris
la fourchette	apprivoisé
la corbeille à pain	à la main
la domestique	éclater de rire
d'un certain âge	se taire
le tablier	punir
la soupe	d'un ton cassant

19 Dans le réfectoire

Répondez

1 Où les pensionnaires se sont-ils rassemblés? Pourquoi?

2 Que voyaient-ils sur la table?

3 Comment s'appelaient les camarades qui se sont assis en groupe? Inventez deux prénoms pour les deux garçons assis de l'autre côté de la table.

4 Qu'est-ce que Jacques a fait pour attirer l'attention de Georges?

5 Qu'est-ce qu'il avait remarqué?

6 Qui est sorti de la cuisine? Décrivez-la.

7 Qu'est-ce qu'elle apportait?

8 Pourquoi a-t-elle laissé tomber la soupière?

9 Qu'est-ce que les quatre camarades ont fait?

10 Qu'est-ce que le surveillant leur a dit? De quel ton a-t-il parlé?

Rédaction

Vous êtes un des petits garçons à qui appartiennent les souris. Racontez cet incident qui a eu lieu il y a huit jours:

    (a) L'arrivée dans le réfectoire
    (b) L'attente du repas
    (c) L'horreur de la domestique
    (d) La punition

20 Dans le dortoir

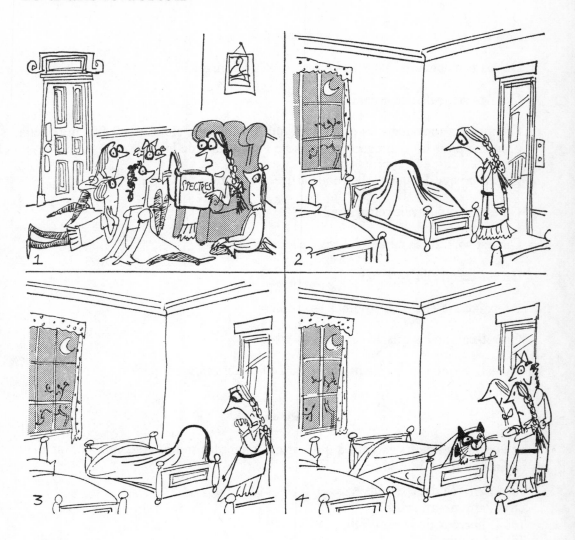

Mots et Locutions

le pensionnat, l'internat (m)
lire à haute voix
une histoire de revenants
le spectre, le fantôme

bouger
le pied du lit
fou (fol, folle) de terreur
les mains serrées

la natte
une sorte de bosse
le dessus de lit
l'oreiller (m)

aller chercher
éclaírcir le mystère
le chat tigré
se laisser entrevoir

20 Dans le dortoir

Répondez

1 Où sont ces fillettes?

2 Que fait celle qui est assise dans le fauteuil?

3 Quelle sorte de livre a-t-elle?

4 De quelle manière les autres l'écoutent-elles?

5 Qui est monté au dortoir?

6 Pourquoi regarde-t-elle fixement son lit?

7 Qu'est-ce qu'elle croit voir?

8 Décrivez-la, telle qu'elle est à ce moment.

9 Qu'est-ce qu'elle décide de faire?

10 Expliquez pour quelle raison ses camarades se moquent d'elle.

Rédaction

Une histoire de revenants

21 Dans la rue

Mots et Locutions

au passage clouté
le clou
la bicyclette, le vélo
la motocyclette
le scooter
la voiture 'sans chevaux'
le képi
l'uniforme (m), en uniforme
le bâton

le piéton
la voiture d'enfant
l'ouvrier (m)
l'Algérien (m), le Marocain
la vieille femme
le matelot
l'épagneul (m)
tirer sur la laisse
vain

21 Dans la rue

Répondez

1 Où est-ce que la scène se passe?

2 Qu'est-ce qui marque ce passage sur la rue?

3 Qu'est-ce qu'on voit sur la chaussée?

4 Décrivez l'agent qui règle la circulation.

5 Qui a le droit de passage?

6 Pourquoi l'agent arrête-t-il la circulation des voitures?

7 Quelles personnes viennent de traverser la rue? Décrivez-les.

8 Pourquoi les voitures ne peuvent-elles pas recommencer à rouler?

9 Pourquoi le chien (qui s'appelle Marco) ne veut-il plus bouger? De quelle race est-il?

10 Que fait sa maîtresse? Pourquoi? Comment sont ses efforts?

Rédaction

Les caprices d'un chien:

    (a) La rue animée
    (b) Les gens affairés
    (c) Le chien obstiné
    (d) Sa maîtresse désespérée

22 Au garage

Mots et Locutions

la torpédo sport	régler un compte
essuyer	la carte routière
le pare-brise	le chien-loup
monter (dans l'auto)	adroitement, habilement
tout pareil	se redresser
se recoucher	la banquette arrière

22 Au garage

Répondez.

1 Qu'est-ce qu'on voit devant la station-service, près des pompes d'essence?

2 Que fait l'employé?

3 Qui est au volant de la voiture 599AM13? Qui est assise dans l'autre voiture, 629AX20?

4 Pourquoi ces automobilistes entrent-ils dans le garage?

5 Qu'est-ce qui se laisse entrevoir dans l'auto du jeune homme?

6 Que fait la jeune femme quand elle est ressortie du garage?

7 Pourquoi se trompe-t-elle de voiture?

8 Pourquoi ne voit-elle pas le chien?

9 Arrivée devant la maison, comment range-t-elle l'auto le long du trottoir?

10 Quelle surprise l'attend?

Rédaction

Racontez cette anecdote au passé historique

23 A l'arrêt de l'autobus

Mots et Locutions

attendre l'autobus	à l'exception de
aller en ville, à la gare	le trottoir
faire des courses (f)	lâcher la main
mince, maigre	se cacher
avoir l'air soucieux	
les frais (m) de ménage	la plate-forme
au Ministère de...	à l'arrière
le porte-documents	déjà
patiemment, impatiemment	démarrer

23 A l'arrêt de l'autobus

Répondez

1 Pourquoi tous ces gens font-ils la queue? Où veulent-ils aller?

2 Combien d'enfants la mère a-t-elle? Décrivez la mère. A quoi pense-t-elle?

3 Devinez l'âge des enfants. Qui est-ce qui porte un bonnet à pompon?

4 Le gros monsieur a l'air d'un fonctionnaire. Où travaille-t-il? Qu'a-t-il à la main?

5 Comment attend tout le monde? Qu'est-ce qu'on regarde en attendant?

6 Quand l'autobus arrive, qui monte dedans?

7 Et le gros monsieur, où reste-t-il? Pourquoi ne monte-t-il pas?

8 Qu'est-ce que le plus petit des enfants a fait?

9 Où se tiennent ses frères, ses sœurs, sa mère?

10 Pourquoi font-ils des gestes de colère ou de désespoir?

Rédaction

L'attente de l'autobus

24 Dans le Métro

Mots et Locutions

loin de son pays natal
rendre visiteà
le parent, la parente
le soldat
en permission
faire un long voyage
le Parisien, la Parisienne
le, la touriste

s'endormir
soulever
le couvercle
le caquet
le battement d'ailes
s'envoler

les genoux (m)
se réveiller en sursaut
effrayé
les yeux écarquillés
confus
rattraper

24 Dans le Métro

Répondez

1 Pourquoi la paysanne se sentait-elle mal à l'aise? Pourquoi était-elle venue à Paris?

2 Qu'est-ce qu'elle avait déposé à ses pieds?

3 Qui dormait dans un coin? Pourquoi était-il fatigué?

4 Qui regardait ces deux personnes?

5 Pourquoi la paysanne ne surveillait-elle plus son panier?

6 Qu'est-ce que la poule a réussi à faire?

7 Quels sons insolites les Parisiens ont-ils entendus?

8 Où est-ce que la poule s'est posée?

9 Décrivez le réveil du soldat et de la paysanne.

10 Pourquoi la paysanne s'est-elle levée?

Rédaction

Une paysanne dans le Métro (*Racontez cet incident au passé historique*)

25 A la gendarmerie

Mots et Locutions

haut, étroit	avancer lentement
le drapeau	sauver
flotter (au vent)	la cheminée
le barreau	
la gouttière	la soucoupe
accroupi	le lait
moucheté de noir	la sardine
peureux	dédaigneux
faire venir	tourner le dos à
la pompe à incendie	s'éloigner

25 A la gendarmerie

Répondez

1 Devant quel bâtiment se tiennent ces gendarmes? Décrivez-le.

2 Pourquoi les gendarmes sont-ils inquiets?

3 Comment est la chatte?

4 Pourquoi reste-t-elle sur le toit?

5 Qu'est-ce que les gendarmes décident de faire?

6 Où a-t-on posé les échelles?

7 Que fait le pompier sur le toit?

8 Où est-ce que la chatte s'est réfugiée?

9 Qu'est-ce qu'on offre à la chatte après sa délivrance?

10 Est-ce qu'elle se montre reconnaissante des efforts qu'on a faits pour la redescendre et pour lui faire plaisir? Qu'est-ce qu'elle fait?

Rédaction

Une chatte aventureuse et ingrate:

    (a) En haut et en bas
    (b) Au secours
    (c) Saine et sauve mais indépendante

26 Devant la mairie

Mots et Locutions

la mairie, l'hôtel de ville
les nouveaux mariés
à quelques mètres de
l'appareil (à plaques ou à pellicules)
le pied (à trois branches)

couvert de
le nuage
se précipiter

le parasol
rayé, à rayures
ordonner
la marche de pierre

s'abriter
la traîne
mouillé

26 Devant la mairie

Répondez

1 D'où la noce est-elle sortie?

2 Pourquoi attend-elle sur le perron?

3 Où se tient le photographe? Qu'est-ce qu'il a pour faire des photographies?

4 Décrivez la terrasse du café. Est-il agréable d'y passer une demi-heure?

5 Pourquoi le photographe s'approche-t-il du perron? Où fait-il asseoir les petits pages?

6 Quel changement de temps a lieu? Comment est le ciel?

7 Que fait le photographe quand il pleut à verse? Que va-t-il chercher?

8 Pourquoi ses clients ne bougent-ils pas? Qu'est-ce qu'il leur a dit?

9 Que font les pages pour se protéger contre la pluie? Et les pauvres mariés?

10 Qui est le mieux abrité? Pourquoi?

Rédaction

'Une giboulée de mars':

    (a) La scène —— le temps qu'il fait
    (b) La noce
    (c) Le photographe affairé
    (d) Les sentiments de ses clients

27 Dans la banque

Mots et Locutions

le billet de banque
menacer
brandir
le revolver
Haut les mains!
le masque

remettre
à reculons
le sac à main
à la laisse
le parapluie

la police
caresser

66

27 Dans la banque

Répondez

1 Où travaillait le caissier? Qu'est-ce qu'il y avait sur le comptoir?

2 Pourquoi le caissier avait-il l'air terrifié? Qu'est-ce que le bandit avait crié?

3 Décrivez le bandit. Que portait-il à la main gauche?

4 Qu'est-ce qu'il a obligé le caissier à faire? Où a-t-il fourré l'argent?

5 De quelle façon marchait-il vers la porte d'entrée? Pourquoi?

6 Qui est entré de la même façon par la porte battante? Pourquoi est-elle entrée ainsi?

7 Qu'est-ce qu'elle portait sous le bras droit? Pourquoi le bandit a-t-il laissé tomber sa valise?

8 Qu'est-ce que le caissier a pu saisir?

9 A qui a-t-il téléphoné?

10 En attendant, que faisait le bandit? et la dame?

Rédaction

Mettez-vous à la place du caissier et écrivez le compte rendu que vous avez dû donner à un détective.

28 Dans le bureau de poste

Mots et Locutions

l'employé des postes
fumer une cigarette
être de service
éteindre

aux cheveux frisés
impatient, irrité

le chariot
chargé de
la balance
peser les paquets

fatigué
gesticuler

28 Dans le bureau de poste

Répondez

1 Où est-ce que la scène se passait?

2 Qui voyait-on derrière le guichet de paquets?

3 Qu'est-ce qu'il était en train de faire?

4 Avait-il le droit de passer le temps de la sorte? Qu'est-ce qu'il aurait fait si un inspecteur y était entré?

5 Qu'est-ce qui se trouvait devant le premier client?

6 De quoi l'employé a-t-il dû s'occuper?

7 Décrivez la grosse dame qui attendait derrière l'homme au béret.

8 Pourquoi faisait-on la queue?

9 Qu'est-ce que l'employé a fait après avoir pesé tous les paquets de l'homme au béret? Pourquoi?

10 Les autres clients étaient-ils contents? Depuis combien de temps attendaient-ils?

Rédaction

L'employé paresseux (*Racontez cet incident au passé historique*)

29 Aux grands magasins

Mots et Locutions

à la recherche des occasions
le chapeau fleuri
ordinaire

porter des lunettes
admirer

en vente
examiner de près
essayer

payer le chapeau
la vendeuse

29 Aux grands magasins

Répondez

1 C'est le moment des soldes. Pourquoi les deux amies sont-elles entrées dans le magasin?

2 A quoi pourrait-on deviner que Madame Latour aimait les chapeaux un peu compliqués et que Madame Dubois avait les goûts plus simples?

3 Où est-ce que Madame Latour a déposé son chapeau?

4 Qu'est-ce qu'elle a pris sur le comptoir? Pourquoi?

5 Décrivez la cliente qui venait d'arriver.

6 Quel chapeau a-t-elle mis? Est-ce qu'il lui a plu?

7 Pourquoi les deux amies ont-elles lancé un regard scandalisé vers cette cliente?

8 Comment a-t-elle pu sortir, ce chapeau à la tête?

9 Qui lui a souri?

10 Qui a profité le plus des soldes?

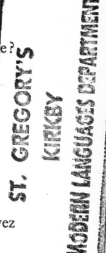

Rédaction

'La Journée des Soldes.' Vous êtes Madame Latour. Racontez la visite que vous avez faite à ce grand magasin.

30 Aux magasins du quartier

Mots et Locutions

le Midi

les comestibles (m)

les conserves (f)

le fromage (de Brie)

compter

disparaître

souriant

joufflu

une boîte de sardines

le saucisson

le petit chien gourmand

voler

30 Aux magasins du quartier

Répondez

1 Dans quelle région de la France est-ce que cette scène se passe?

2 Dans quel magasin la dame va-t-elle passer?

3 Qu'est-ce qu'on y vend?

4 Qui l'accompagne?

5 Décrivez le marchand.

6 Qu'est-ce qu'il offre d'abord à la dame?

7 Qu'est-ce qui est suspendu derrière lui?

8 Pourquoi est-il surpris quand il laisse tomber son regard sur le comptoir?

9 Combien de saucisses y avait-il d'abord?

10 Expliquez pourquoi les autres saucisses ont disparu.

Rédaction

'La disparition des saucisses.' Vous êtes le marchand. Racontez à votre femme tout ce qui s'est passé.

31 Au marché

Mots et Locutions

le crabe
les cheveux enroulés en chignon
le panier vide

le chou-fleur
la pince (du crabe)

acheter quelque chose à quelqu'un
la jonquille

reprendre
par terre

31 Au marché

Répondez

1 Quels étalages voit-on dans ce coin du marché?

2 Quelle est la première emplette que fait la dame qui parle au marchand de poisson?

3 Cette dame s'appelle Madame Duclos. Décrivez-la.

4 Qu'est-ce qu'elle décide d'acheter ensuite?

5 Où met-elle les fleurs?

6 Qu'est-ce que Madame Duclos choisit chez le marchand de légumes?

7 Qu'est-ce qu'on voit sortir du panier?

8 Qu'est-ce qu'il emporte avec lui?

9 Pourquoi Madame Duclos se baisse-t-elle?

10 Où se trouve le crabe 'fleuri'?

Rédaction

Racontez la conversation entre Madame Duclos et les trois marchands:

    (a) Le marchand de poisson
    (b) La marchande de fleurs
    (c) Le marchand de légumes

32 Dans l'usine

Mots et Locutions

l'usine (f) de tissage
un avis
en bras de chemise
la chemise à carreaux

s'étaler de tout son long
le plancher

la salle d'emballage
estampiller
le ballot
étendre le bras

le contremaître
le bleu, la salopette
l'apprenti (m)

32 Dans l'usine

Répondez

1 Où est-ce que Daniel se trouve? Qu'est-ce qu'il cherche?

2 Qu'est-ce qu'il est en train de lire?

3 Comment est-il habillé?

4 Où revoyons-nous Daniel?

5 A quoi sert le tapis roulant près duquel il se tient?

6 Qu'est-ce que Daniel doit faire? Pourquoi le trouve-t-il si difficile?

7 Quel malheur lui arrive quand il se penche trop?

8 Où se trouve-t-il après quelques instants?

9 Qui le regarde? Décrivez cet homme.

10 Comment devine-t-on qu'il a congédié le pauvre Daniel?

Rédaction

Un employé maladroit (*Racontez cet incident au passé historique*):

(a) Recherche d'un emploi
(b) Premier jour de travail
(c) Accident
(d) Congé

33 Dans le musée [examen]

Mots et Locutions

l'atelier (m)	la crinière d'un lion	le critique
le modelage en glaise	l'exposition (f)	le chef d'œuvre
un sculpteur célèbre	impressionner	porter un toast

Rédaction (140–160 mots)

Premier succès d'une jeune artiste (*Racontez cette anecdote au passé historique*)

34 Au cinéma [examen]

Mots et Locutions

le guichet	le Western, le cow-boy	écarter les bras
l'ouvreuse (f)	dresser un cheval	porter un coup à
l'horloge (f)	désarçonner	se fâcher contre
l'écran (m)	le film passionnant	le couloir

Rédaction

'Ma première visite au cinéma.' Mettez-vous à la place du petit garçon et racontez ce que vous avez fait et ce que vous avez pensé ce jour-là.

35 A l'Opéra

Mots et Locutions

en tenue de soirée
le pourboire

un bruit inattendu
s'affaisser
une attaque de nerfs

les jumelles (f)
debout sur la scène
sur l'estrade (f)

pleurer à chaudes larmes
reconduire

35 A l'Opéra

Répondez

1 Où est-ce que le taxi s'arrête? Qui en descend? Décrivez-les.

2 Qui paie le chauffeur? Qu'est-ce qu'il lui donne en plus?

3 Où est-ce que la famille est entrée?

4 Qu'est-ce qui se trouve sur le rebord de la loge, juste devant la petite fille?

5 Où se tient la cantatrice? Le chef d'orchestre?

6 Pourquoi les yeux de tous sont-ils tournés vers la loge de la famille?

7 Qu'est-ce que la petite fille a fait tomber sur les cymbales?

8 Que fait la cantatrice?

9 Comment savez-vous que la petite fille a honte?

10 Que font ses parents?

Rédaction

Sa première visite à l'Opéra (*Racontez cette histoire au passé historique*) :
   (a) Arrivée à l'Opéra
   (b) Bonheur
   (c) Malheur
   (d) Départ précipité

36 A la douane

Mots et Locutions

passer la douane

friser la cinquantaine

des chaussures dernier cri

le collier

le flacon de parfum

le douanier

fouiller

la bouteille

le bas

36 A la douane

Répondez

1 Que faut-il faire tout d'abord quand on revient de l'étranger?

2 Où est-ce que les deux voyageurs se tiennent?

3 Devinez l'âge du monsieur. Décrivez sa femme.

4 Où a-t-on mis leurs bagages?

5 Qui examine le passeport de la dame?

6 Que fait le douanier qui se tient à droite?

7 Qu'est-ce qu'il trouve dans la chaussette du monsieur?

8 Est-ce que la dame est fâchée? et son mari?

9 Où est-ce qu'on trouve une bouteille de cognac?

10 Qui rit maintenant?

Rédaction

Une affaire de contrebande (*Racontez cette histoire au passé historique*)

37 A l'hôtel

Mots et Locutions

l'hôtel de luxe (m)   le gérant de l'hôtel
le caniche   l'ascenseur (m)
le chasseur   le liftier

                             le journal
se faire coiffer   frisé comme un mouton
le chien   le nœud de ruban

37 A l'hôtel

Répondez

1 Où est-ce que les voyageurs descendent du taxi?

2 De quelle race est leur chien?

3 Qui porte leurs bagages?

4 Qui les accueille dans le bureau de réception?

5 Comment monte-t-on les bagages à la chambre?

6 Pourquoi la dame entre-t-elle dans le salon de coiffure?

7 Qui l'accompagne?

8 Comment le mari passe-t-il le temps?

9 Après être sortie du salon de coiffure à qui la dame ressemble-t-elle?

10 Expliquez la ressemblance.

Rédaction

Écrivez une petite histoire intitulée: 'Qui m'aime aime mon chien'.

38 Au café-restaurant

Mots et Locutions

le parasol	récemment	le verre
l'arbuste (m)	peint	la bouteille de vin
vider	comprendre le français	la peinture
le cendrier		
l'Américain (m)	hausser les épaules (f)	

38 Au café-restaurant

Répondez

1 Où peut-on manger et boire d'une façon agréable en France?

2 Décrivez cette terrasse. De quoi le garçon de café s'occupait-il?

3 Qui s'intéressait au menu?

4 Où est-ce que les touristes ont voulu s'asseoir?

5 Qui a essayé de les empêcher? Pourquoi?

6 Pourquoi n'ont-ils pas écouté les conseils du garçon?

7 Qu'est-ce que le garçon résigné a fait?

8 Qu'est-ce qui se trouvait sur la table des Américains?

9 Qu'est-ce que l'Américain a cherché dans son portefeuille?

10 De quoi était-il zébré?

Rédaction

'Prenez garde à la peinture!'

39 Devant l'église

Mots et Locutions

le perron

le parvis

la soutane

le bréviaire

la rosace

les vitraux (m)

indiquer

la patte de derrière

disparaître

endimanché

flairer

le bord

mordre

la cheville

choqué

39 Devant l'église

Répondez

1 Où se trouve le curé? D'où vient-il?

2 Décrivez le curé.

3 Qu'est-ce qu'il admire?

4 Qui est venu causer avec le curé?

5 Que fait le petit chien?

6 Pourquoi le petit garçon tire-t-il sur le manteau de sa mère?

7 Pourquoi la mère et le curé ne font-ils pas attention à l'enfant?

8 Pourquoi le curé commence-t-il à sauter à cloche-pied?

9 Qu'est-ce que le petit garçon essaie d'attraper?

10 Quels sont les sentiments de la mère? Et du curé?

Rédaction

Racontez l'histoire du petit chien méchant.

40 La visite du château

Mots et Locutions

au moyen âge	l'armure (f)	la ficelle
la tour ronde	le képi	
le pont-levis		
le fossé	saisi de terreur	
peindre à l'aquarelle (f)	le chevalier	
la foule cosmopolite	lever le bras	

40 La visite du château

Répondez

1 Dans quel siècle ou à quelle époque a-t-on bâti ce château?

2 Comment le savez-vous?

3 Que fait l'homme assis sur le pliant?

4 Quelles sortes de gens descendent du car?

5 Que voit-on dans une des galeries?

6 A quoi reconnaît-on le guide?

7 Pourquoi la dame s'évanouit-elle?

8 Qu'est-ce qu'elle croit voir?

9 Quelle en est l'explication?

10 Qui ne trouve pas amusant cet incident?

Rédaction

Racontez la visite du château du point de vue de deux touristes qui ont assisté à cet incident.

41 L'arrivée du cirque

Mots et Locutions

le cirque ambulant
le chameau
la chèvre
le singe
le forain
se tenir la main

le voltigeur
la voltige
admirer
retenir son souffle

la salle de séjour
faire claquer le fouet

41 L'arrivée du cirque

Répondez

1 Qu'est-ce qui traverse le village?

2 Décrivez le défilé.

3 Combien d'animaux voit-on?

4 Comment appelle-t-on un homme qui travaille dans un cirque?

5 Qui se réjouit de voir le cirque?

6 Qu'est-ce qui les frappe surtout?

7 Où revoyons-nous les deux enfants?

8 Pourquoi la petite est-elle montée sur le dos de leur chien-loup?

9 Qui la suit? Que fait-il?

10 Qui les regarde en souriant?

Rédaction

Écrivez une histoire intitulée 'Le cirque et ses admirateurs':
   (a) Le vrai cirque
   (b) Les artistes
   (c) Le cirque familial

42 Au jardin zoologique [examen]

Mots et Locutions

le perroquet	la cacahuète	la trompe
le perchoir (libre)	le paradisier	battre des ailes

Rédaction (140–160 mots)

Un éléphant qui a le sens de l'ordre

43 A la plage [examen]

Mots et Locutions

l'estivant (m)
se baigner
la cabine

le bateau à rames
la marée monte
flotter

en pleine mer

Rédaction

Racontez une aventure semblable que vous avez eue au bord de la mer.

44 Le jeu de boules

Mots et Locutions

un village provençal
au beau milieu
le facteur
distribuer les lettres

la chemise à carreaux
crier à tue-tête

participer à
la caisse
la camionnette
une Isetta

44 Le jeu de boules

Répondez

1 Où est-ce qu'on était en train de jouer aux boules?

2 Que faisaient les hommes qui restaient assis?

3 Qui se tenait à côté du gendarme?

4 Qu'est-ce qu'il aurait dû faire?

5 Décrivez le chauffeur de la torpédo.

6 Pourquoi n'a-t-il pas pu avancer malgré ses cris?

7 Qu'a-t-il fait ensuite?

8 Combien de voitures se sont-elles arrêtées derrière la torpédo?

9 Décrivez ces voitures.

10 Où est-ce que tout le monde s'est enfin rassemblé?

Rédaction

Racontez cet incident sous le titre 'Un embouteillage dans le Midi':

    (a) Les joueurs
    (b) Le jeu
    (c) Les spectateurs inattendus

45 Le cyclisme

Mots et Locutions

l'envolée (f)
la course de bicyclettes
le coureur
le supporteur
donner le signal du départ

à toute hâte
la tête baissée
le platane

le camarade
adorer
admirer

45 Le cyclisme

Répondez

1 Qu'est-ce que la première image représente?

2 Quelles sont les personnes qu'on y voit?

3 Que fait le starter?

4 Qui dit au revoir à son père?

5 Comment les coureurs roulent-ils?

6 Qui court le long de la route?

7 Quels sont les arbres qui bordent la route?

8 Qu'est-ce que le petit garçon organise?

9 Combien de concurrents y a-t-il?

10 Pourquoi ces enfants imitent-ils leurs parents?

Rédaction

Décrivez les deux courses de bicyclettes.

46 A la pêche

Mots et Locutions

au bord de la rivière
le peuplier
les lunettes (f)
les cheveux frisés
le sourire aux lèvres
le chien fidèle
la poupée
le roman
pêcher à la ligne

attraper
le gros poisson

la bottine
déçu
l'air dédaigneux

la chaumière
la fumée
têtu
jusqu' à la tombée de la nuit

46 A la pêche

Répondez

1 Où est-ce que la scène se passe?

2 Combien de personnes y a-t-il dans cette histoire?

3 Décrivez la famille et le chien.

4 Que fait la petite fille?

5 Qu'est-ce que la mère tient à la main?

6 Comment le père et son fils s'amusent-ils?

7 Pourquoi les mouettes s'approchent-elles du petit garçon?

8 Qu'est-ce que le père retire de l'eau?

9 Quels sont les sentiments de la mère?

10 Qui rentre enfin à la maison?

11 Où est papa?

12 Pourquoi reste-t-il là?

Rédaction

Écrivez l'histoire représentée par les images, sous le titre 'Au bord de la rivière':

    (a) Description de la famille —— installation au bord de la rivière
    (b) Façons de s'amuser
    (c) Succès du fils
    (d) Déception du père
    (è) Rentrée —— solitude du père

47 A la montagne

Mots et Locutions

le pin
le sapin
l'assiette (f)
la bouteille vide
le rivage
ramasser
le galet
faire des ricochets (sur l'eau)

la mine
faire venir
la barque

le scaphandrier
plonger
examiner le fond du lac

47 A la montagne

Répondez

1 Où se trouve le lac? Quels sont les arbres qu'on voit sur les pentes?

2 Qu'est-ce qu'il reste du pique-nique?

3 Où se promènent les jumeaux?

4 A quoi s'amusent-ils?

5 Qu'est-ce qu'ils croient voir à quelques mètres du rivage?

6 Pourquoi font-ils signe au reste de la famille?

7 Qu'est-ce qui est à l'ancre tout près de l'objet mystérieux?

8 Qu'est-ce qu'on voit sortir tout d'un coup de l'eau?

9 Qu'est-ce que cet homme vient de faire?

10 Pourquoi?

Rédaction

Le mystère du lac (*Racontez cet incident au passé historique*)

48 La vendange [examen]

Mots et Locutions

la vendangeuse
le raisin
la grappe

le panier
la corbeille

Rédaction (140–160 mots)

Une journée dans la vigne

49 La fête du village [examen]

Mots et Locutions

la foire
le manège

le tir à la carabine
tirer

Rédaction (140–160 mots)

'On s'amuse'

50 Un jour d'hiver [examen]

Mots et Locutions

la luge   le plateau   patiner

Rédaction (140–160 mots)

Les sports d'hiver

VOCABULAIRE

Vocabulaire [French/English]

A

d'abord, (at) first

(s')abriter, to shelter

accroupi, crouching

accueillir, to welcome

l'achat (m), purchase

acheter (à), to buy (from)

l'admirateur (m), admirer

s'adresser à, to apply to

adroitement, skilfully, neatly

l'aérogare (f), air terminal

l'aéroport (m), airport

affairé, busy

s'affaisser, to collapse

l'âge (m), age; d'un certain âge, middle-aged; le moyen âge, Middle Ages

l'agent (m) de police, policeman

agir, to act; de quoi s'agit-il? what is it all about?

agité, rough

agréable, pleasant

agricole, agricultural

l'aigle (m, f), eagle

l'ail (m), garlic

l'aile (f), wing

ailleurs, elsewhere

aimer, to love; qui m'aime aime mon chien, love me love my dog

l'air (m), air, appearance; avoir l'air, to seem, look; en l'air, in the air; en plein air, in the open air

l'aise (f), ease, comfort; mal à l'aise, uncomfortable; prendre ses aises, to take one's ease

l'Algérien (m), Algerian

l'alimentation générale (f), food-shop

l'allée (f), path

l'allemand (m), German (language)

aller chercher, to fetch

amarrer, to moor

amer, bitter

l'Américain (m), American

l'ami (m), friend

amusant, amusing, entertaining

s'amuser, to enjoy oneself

l'ancre (f), anchor

l'âne (m), donkey

animé, busy

l'appareil (m), apparatus; l'appareil photographique, camera

l'appartement (m), flat

appartenir, to belong

apporter, to bring

l'apprenti (m), apprentice

apprivoisé, tame

l'arbre (m), tree

l'arbuste (m), shrub

l'ardoise (f), slate

l'argent (m), money

l'armoire (f), cupboard; l'armoire à glace, mirror-wardrobe

l'armure (f), suit of armour

arracher, to pull up

l'arrêt (m), stop

(s')arrêter, to stop

à l'arrière, at the back

l'arrivée (f), arrival

arriver, to arrive, happen

les articles (m) de luxe, luxury-goods

l'ascenseur (m), lift

l'assiette (f), plate

assister à, to be present at

s'assoupir, to become drowsy

l'atelier (m), studio, workshop

l'attaque (f), attack; l'attaque de nerfs, fit of hysteria

atteler, to harness

en attendant, in the meantime

attendre, to wait (for)

l'attente (f), wait, waiting

atterrir, to land

l'atterrissage (m), landing

attirer, to attract

attraper, to catch

ausculter, to sound (a patient)

l'autobus (m), bus

l'autocar (m), motor coach

l'automobile (f), motor car; en auto(mobile), by car

l'automobiliste (m, f), motorist

l'autorail (m), rail-car

autre, other

l'avantage (m), advantage

aventureux, adventurous

l'avion (m), aeroplane; l'avion à réaction, jet plane; en avion, par avion, by plane

l'avis (m), notice, warning

avoir, to have; il y a huit jours, a week ago

B

les bagages (m), luggage

se baigner, to bathe

la baignoire, bath

baisser, to lower; se baisser, to bend down

la balance, scales

la baleinière, ship's lifeboat

la balle, ball

le ballon, balloon, glass flask

le ballot, bale

le banc (de pierre), (stone) bench

la banque, bank
la banquette arrière, rear seat (in car)
la barque, craft, boat
le barreau, bar
la barrière, gate
en bas, down below
le bas, stocking
la basilique, basilica (kind of church)
la basse-cour, farm-yard, poultry-yard
le bassin, ornamental pond
le bateau, boat; le bateau à rames, rowing-boat; le bateau à voiles, sailing-boat; le bateau de pêche, fishing-boat; le bateau-mouche, pleasure-boat on the Seine
le bâtiment, building
bâtir, to build
le battement, beating; le battement d'ailes, flapping of wings
battre, to beat; battre des ailes, to flap one's wings
les beaux-arts (m), fine arts
le bec Bunsen, Bunsen burner
bêcher, to dig
la bête, animal, creature
le beurre, butter
la bibliothèque, bookcase
le billet, ticket; le billet de banque, bank-note
le bleu, workman's overalls
la blouse, overall
la boîte, box; la boîte de sardines, tin of sardines
le bol, bowl
le bonheur, happiness
bondir, to leap
le bonnet à pompon, woollen hat with pompom
à bord, on board
le bord, edge, hem; au bord de, on the bank(s) of

border, to border, go along by
la bosse, hump, bump
la botanique, botany
la botte (de carottes), bunch (of carrots)
la bottine, boot
le bouc, billy-goat
la bouche, mouth; rester bouche bée, to stand open-mouthed
le boucher, butcher
la boucherie, butcher's shop
boucler, to fasten (belt)
bouger, to move, stir
bouillant, boiling
le boulanger, baker
la boulangerie, baker's shop
le boulevard, wide, tree-lined street
le bouquet (de fleurs), bunch (of flowers)
le bouquin, old book
le bouquiniste, second-hand bookseller
la bouteille, bottle
la branche, branch
brandir, to brandish
le bréviaire, breviary
la brosse à dents, tooth-brush
la brouette, wheelbarrow
le bruit, noise, sound
bruyant, noisy
le bûcher, stake; mourir sur le bûcher, to be burnt at the stake
le bureau, office; le bureau de poste, post-office

C

la cabine, (beach) hut, cabin
la cacahuète, peanut
(se) cacher, to hide
la cafetière, coffee-pot
la cage, cage
la caisse, crate, cash-desk
le caissier, cashier
câlin, wheedling

la câlinerie, wheedling, flattery
le, la camarade, (school) friend
le camion, lorry; le camion d'essence, petrol tanker
la camionnette, delivery-van
la campagne, country; en pleine campagne, in the open country
le canapé, sofa, settee
le canard, duck
le, la caniche, poodle
la canne à pêche, fishing-rod
la cantatrice, singer
le caoutchouc, rubber
le caprice, whim
le caquet, cackle
le car, motor coach
caresser, to stroke
la carpette, rug
le carrefour, crossroads
la carte, map; la carte routière, road map
(se) casser, to break
la casserole, saucepan
la cathédrale, cathedral
causer, to chat
la ceinture de sécurité, safety-belt, seat-belt
célèbre, famous
le cendrier, ash-tray
la chaisière, woman chair-attendant
la chambre, bedroom
le chameau, camel
le changement, change
le chapeau, hat; le carton à chapeau, hat-box; le chapeau haut de forme, top hat
le chapelet d'oignons, string of onions
le charbon, coal
la charge, load
chargé de, laden with
le chariot, truck
la charrette, cart; la charrette à bras, hand-cart

chasser, to chase
le **chasseur**, hotel porter
le **chat**, la **chatte**, cat; le **chat tigré**, striped tabby cat
le **château**, castle, country house
le **chauffage**, heating
chauffer, to heat
le **chaume**, thatch
la **chaumière**, cottage (thatched)
la **chaussée**, roadway, carriageway
la **chaussette**, sock
les **chaussures** (f) **dernier cri**, fashionable shoes
chauve, bald
le **chef d'œuvre**, masterpiece
le **chef d'orchestre**, conductor
le **chef de train**, guard
le **chemin**, lane; le **chemin de fer**, railway
la **cheminée**, chimney, funnel
la **chemise**, shirt; la **chemise à carreaux**, checked shirt; **en bras de chemise**, in shirt-sleeves
la **chemisette**, blouse
la **chère**, food and drink; la **bonne chère**, good living
le **cheval**, horse
le **chevalier**, knight
le **chevet**, bed-head; la **table de chevet**, bedside table
les **cheveux** (m), hair; les **cheveux enroulés en chignon**, hair in a bun; les **cheveux frisés**, curly hair
la **cheville**, ankle
la **chèvre**, goat
le **chien**, dog; le **chien-loup**, Alsatian dog
la **chimie**, chemistry
choisir, to choose
choqué, shocked
le **chou**, cabbage

le **chou-fleur**, cauliflower
le **ciel** (couvert), (overcast) sky
le **cigare**, cigar
la **circulation**, traffic; la **circulation intense**, heavy traffic
le **cirque**, circus; le **cirque ambulant**, travelling circus
le **client**, la **cliente**, customer
le **clou**, stud, nail
le **cognac**, brandy
se **coiffer**, to dress one's hair
la **coiffure**, hairdressing
le **coin**, corner
la **colère**, anger; **être en colère**, to be angry
le **colis**, package
le **collier**, necklace
les **comestibles** (m), food
la **commode**, chest of drawers
le **compagnon de voyage**, fellow-traveller
le **compartiment**, compartment
compliqué, elaborate
comprendre, to understand
compter, to count
le **compte rendu**, account
le **comptoir**, counter
le **concurrent**, competitor
la **conduite intérieure**, saloon car
confus, embarrassed
le **congé**, dismissal, leave
congédier, to dismiss
la **connaissance**, acquaintance
le **conseil**, advice
les **conserves** (f), tinned goods
la **consigne**, left-luggage office
le **contenu**, contents
la **contrebande**, smuggling, contraband
le **contremaître**, foreman
le **contrôleur**, ticket-collector

la **corbeille**, basket (no handle across top); la **corbeille à pain**, bread-basket
la **corne**, horn; **donner un coup de corne**, to butt
cosmopolite, cosmopolitan
la **côte**, coast
le **côté**, side; **à côté de**, beside; **de quel côté?** on which side?
le **coude**, elbow; **donner un coup de coude à**, to nudge
le **couloir**, corridor, gangway
le **couperet**, chopper, cleaver
la **cour de récréation**, playground
se **courber**, to bend down
le **coureur**, racer
courir les magasins, to tour the shops
la **course**, race, errand; **faire des courses**, to go shopping
court, short
le **couteau** (de table), (table) knife
le **couturier**, dress-designer
le **couvercle**, lid
couvert (de), covered (with)
le **crabe**, crab
craindre, to fear
crier, to shout; **crier à tue-tête**, to yell; **crier au secours**, to shout for help
la **crinière**, mane
le **critique**, critic
la **croisée**, casement-window
la **croisière**, cruise
cueillir, to gather, pick
la **cuillerée**, spoonful
la **cuisine**, kitchen, cookery
la **cuisinière** (à gaz), (gas) cooker
cultiver, to till
curieux, inquisitive
le **cyclisme**, cycling
la **cymbale**, cymbal

D

débarquer, to land, go ashore

déborder, to overflow

déboucler, to unfasten (belt)

debout, standing

la déception, disappointment

le décollage, take-off

décrire, to describe

déçu, disappointed

dédaigneux, disdainful

dedans, in, inside

le défilé, procession

déjà, already

la délivrance, rescue

la demande, request

démarrer, to start, move off (bus, car)

demeurer, to stay, live

les denrées (f), produce

le départ, departure

déposer, to put down

à la dérobée, furtively

désarçonner, to unseat (rider of horse)

la descente de lit, bedside rug

désespéré, despairing

le désespoir, despair

le dessus de lit, bed-cover

se détendre, to relax

deviner, to guess

difficile, difficult, hard to please

dîner, to have dinner

se diriger vers, to go towards

disparaître, to disappear

la disparition, disappearance

distribuer, to deliver

le, la domestique, servant

donner à manger à, to feed

le dortoir, dormitory

le dos, back

la douane, customs, customs-house; passer la douane, to go through the customs

le douanier, customs officer

la douche, shower

le drapeau, flag

dresser un cheval, to break in a horse

se dresser, to rise

le droit, right; le droit de passage, right of way

à droite, on the right

dur, hard

E

l'eau (f), water

ébahi, astounded, dumb-founded

écarter les bras, to open (fling out) one's arms

s'échapper, to escape

l'échelle (f), ladder

éclaircir, to clear up, solve

éclater de rire, to burst out laughing

écouter, to listen (to)

l'écran (m), screen

l'effet (m), effect

effrayé, frightened

à l'égard de, with regard to

l'église (f), church

s'éloigner, to move away

l'embarcadère (m), landing-stage

l'embarcation (f), small boat

l'embouteillage (m), traffic-jam

empêcher, to prevent

l'emplette (f), purchase

l'emploi (m), job, employment

l'employé (m), employee

emporter, to take away, carry off; l'emporter, to prevail, win the day

encombré, congested, littered

endimanché, in one's Sunday best

s'endormir, to fall asleep

énorme, huge

ensuite, then, next

entrer, to enter; entrer en collision, to collide; faire entrer, to show in

l'envol (m), take-off

l'envolée (f), start (of bicycle race)

s'envoler, to take off, fly off

l'épagneul (m), spaniel

l'épaule (f), shoulder; hausser les épaules, to shrug one's shoulders

l'éponge (f), sponge

l'époque (f), period

éprouver, to experience, feel

l'éprouvette (f), test-tube

l'escale (f), port of call; faire escale à, to call at

l'escalier (m), stairs

l'espagnol (m), Spanish

essayer, to try, try on

l'essence (f), petrol

essuyer, to wipe

estampiller, to stamp

l'estivant (m), summer visitor

l'estrade (f), dais, platform

l'étable (f), cow-shed

l'étage (m), storey, floor

l'étalage (m), stall, display

s'étaler de tout son long, to go sprawling

éteindre, to extinguish

étendre, to stretch out

de l'étranger, from abroad

être en train de, to be occupied, engaged in . . .

étroit, narrow

évadé, escaped

s'évanouir, to faint

l'évier (m), sink

examiner de près, to examine closely

à l'exception de, except

l'exercice (m), exercise; les exercices d'assouplissement, limbering-up exercises

l'expérience (f), experiment, experience

l'explication (f), explanation

expliquer, to explain
l'exposition (f), exhibition

F

la fabrique, factory
fâché, angry
se fâcher contre, to get
angry with
la façon, way, manner
le facteur, postman
faire des ricochets sur
l'eau, to play ducks and
drakes
faire venir, to send for
la falaise, cliff
familial, belonging to
family
le fantôme, ghost, phantom
fatigué, tired
le fauteuil, arm-chair
la fête, festival, fête
la feuille, leaf
feuilleter, to turn over the
pages of
la ficelle, string
fidèle, loyal
la fièvre, fever; avoir la
fièvre, to have a high
temperature
la filature, spinning-mill
le filet, fishing-net; le filet à
provisions, string shop-
ping-bag
la fin, end
le flacon de parfum, bottle
of scent
flairer, to sniff, sniff at,
smell
le flamand, Flemish
la flèche, spire
la fleur, flower
fleuri, flowery, covered
with flowers
flotter, to float
le foin, hay
la foire, fair
la fois, time, occasion; une
fois par an, once a year
le fonctionnaire, civil servant
le fond, background, bottom

la fonderie, foundry
le forain, travelling show-
man
le fossé, moat
fou de terreur, scared out
of one's wits
le fouet, whip; faire claquer le fouet, to crack
the whip
fouiller, to search
la foule, crowd
la fourche, fork
la fourchette, table fork
le fourgon à bagages, lug-
gage-van
fourrer, to stuff, cram
les frais (m), expenses;
les frais de ménage,
household expenses
la fraise, strawberry
la framboise, raspberry
frapper, to strike
frisé comme un mouton,
with short and very curly
hair
friser la cinquantaine, to
be about fifty
le fromage, cheese
la frontière, frontier
la fumée, smoke
fumer, to smoke

G

le galet, pebble
garantir, to protect
garder, to keep
la gare, station
à gauche, on the left
le gaz, gas
le gazon, grass, turf, lawn
la gendarmerie, police bar-
racks
le genou, knee; les genoux,
lap
le gérant, manager
le geste, gesture; faire des
gestes, to gesticulate
la giboulée de mars, April
shower
gigantesque, gigantic
la glace, ice, ice-cream

la gorge, throat; avoir mal
à la gorge, to have a
sore throat
gothique, Gothic
gourmand, greedy
le goût, taste
la goutte, drop
la gouttière, gutter
la grange à foin, hayloft
la grappe, bunch
la gravure, engraving, print
la grille, iron gate
la grimace, wry face; faire
la grimace, to pull a
face
le groupe, group
guérir, to cure
le guichet, booking-office,
counter (bank, post-
office)
guider, to guide
la gymnastique, gymnastics

H

habilement, skilfully
s'habiller, to dress
la hâte, haste; à la hâte,
hurriedly
haut, tall, high; en haut,
up above
la hauteur, height; prendre
de la hauteur, to gain
height
le haut-parleur, loud-spea-
ker
l'hélice (f), propeller
hérissé, bristling
les heures (f) d'affluence,
rush hours
heureux, happy
se heurter (contre), to bump
(into)
l'histoire (f), story, history
la honte, shame; avoir
honte, to be ashamed
l'horaire (m), timetable
l'horloge (f), clock (on
wall, etc.)
l'horreur (f), horror, dis-
gust; avoir horreur de,
to hate

l'hôtel (m), hotel; l'hôtel de luxe, luxury hotel; l'hôtel de ville, town hall

l'hôtesse (f) de l'air, air-hostess

le hublot, port-hole

I

l'image (f), picture (un-framed)

s'imaginer, to imagine, fancy

impatiemment, im-patiently

impressionnant, im-pressive

impressionner, to impress

inattendu, unexpected

l'incident (m), incident, hitch

l'incendie (m), fire; la pompe à incendie, fire-engine

l'inconvénient (m), dis-advantage

indiquer, to point out

ingrat, ungrateful

inquiet, anxious

l'inondation (f), flood

insolite, unusual

s'installer, to settle down

l'instituteur (m), l'institu-trice (f), primary school teacher

à l'insu de, without the know-ledge of

s'intéresser à, to be inter-ested in

l'internat (m), boarding-school

l'Isetta (f), bubble-car

l'italien (m), Italian (lan-guage)

J

le jardin, garden; le jardin potager, kitchen-gar-den; le jardin public, park; le jardin zoo-logique, zoo

le jardinage, gardening

le jardinier, gardener

le jet d'eau, fountain

la jetée, jetty, pier

jeter, to throw (away)

le jeu, game; le jeu de boules, game of bowls

jouer, to play

le joueur, player

joufflu, chubby-cheeked

jouir d'une réputation mondiale, to have a world-wide reputation

le jour, day; le jour de marché, market-day

le journal, newspaper

les jumeaux (m), twins

les jumelles (f), twins, opera-glasses

la jupe (plissée), (pleated) skirt

K

le képi, peaked cap

le kilomètre, kilometre; cent kilomètres à l'heure, one hundred kilometres an hour

le kiosque, kiosk

L

le laboratoire, laboratory

le lac, lake

lâcher, to let go

la laisse, lead, leash

laisser, to let, leave; se laisser entrevoir, to peep out

le lait, milk

le laitier, milkman, dairyman

le lampadaire, standard-lamp

lancer, to throw; lancer un cerf-volant, to fly a kite; lancer un regard, to cast a glance

languissant, drooping

le lavabo, wash-basin

laver, to wash; se laver les dents, to clean one's teeth

le leçon, lesson

le légume, vegetable

le lendemain, next day

la lèvre, lip

libre, free, empty

lier, to tie (up)

le lieu, place; au lieu de, instead of; avoir lieu, to take place

le liftier, lift attendant

lire, to read; lire à haute voix, to read aloud

lisse, sleek, glossy

le lit, bed

la locomotive, engine, loco-motive

la loge, box (theatre)

loin, far; au loin, in the distance

le long de, along the side of

longer, to skirt

longuement, at great length

la luge, toboggan

luisant, gleaming, bright

les lunettes (f), glasses

le lycéen, grammar school boy

M

le magasin, shop; le grand magasin, department store; les magasins du quartier, local shops

le magazine, (illustrated) magazine

magnifique, magnificent

maigre, thin

la main, hand; à la main, in one's hand; 'Haut les mains!' 'Hands up!'

la mairie, town hall

la maison, house

le mal de l'air, air-sickness; le mal de mer, sea-sickness

le, la malade, invalid, sick per-son; tomber malade, to be taken ill maladroit, clumsy

malgré, in spite of

le malheur, misfortune, un-happiness

la malle, trunk

la manche, sleeve; la Manche, English Channel

le manège, roundabout

le manteau, coat

le maraîcher, market-gardener

le marchand, la marchande, shopkeeper, stall-holder; le marchand de glaces, ice-cream man; le marchand de poisson, fishmonger; le marchand de volaille, poulterer

marchander, to bargain, haggle

la marchandise, goods, wares

la marche, step

le marché, market; faire son marché, to do one's shopping; à bon marché, cheaply

marcher, to walk

la marée, tide; la marée monte, the tide rises

le marin, sailor

la marine, navy

le Marocain, Moroccan

le marronnier, chestnut-tree

le masque, mask

le mât, mast

le matelot, sailor

le mazout, fuel oil

le mécanicien, engine-driver, mechanic

méchant, naughty

mécontent, displeased

le médecin, doctor

le médicament, medicine

la méfiance, mistrust

menacer, to threaten; menacer du poing, to shake one's fist at

le ménage, housework, household

la ménagère, housewife

la mer, sea; en pleine mer, on the open sea

le Métro, Underground railway (Paris)

se mettre à, to begin to

les meubles (m), furniture

le Midi, South of France

au milieu, in the middle; au beau milieu, right in the middle

mince, slim

la mine (de houille), (coal) mine

le Ministère, Ministry

la mode, fashion

le modelage en glaise, clay-modelling

la modiste, milliner

la moitié, half; à moitié mort, half-dead

le monde, world; tout le monde, everybody

le monologue intérieur, soliloquy

le monsieur, gentleman

la montagne, mountain; à la montagne, in (to) the mountains

monter dans, to get into

montrer, to show; montrer du doigt, to point at

le monument, monument, public or historic building

se moquer de, to make fun of, laugh at

la morale, moral

le morceau, piece

mordre, to bite

la morue, cod

la motocyclette, motor-cycle

le motocyclisme, motor-cycling

moucheté de noir, with black markings

la mouette, sea-gull

mouillé, wet

le moulin à café, coffee-mill

le moyen, means

le musée, museum, art gallery

le mystère, mystery

mystérieux, mysterious

N

natal, native

la natte, plait

le navire, ship

la noce, wedding-party

le nœud, knot; le nœud de ruban, bow of ribbon

le nord, North

les nouveaux mariés, bride and bridegroom

le nuage, cloud

O

l'obscurité (f), darkness

obstiné, stubborn

l'occasion (f), bargain

s'occuper de, to see to, attend to

l'œil (m), eye; regarder d'un œil d'envie, to look enviously at

l'œuf (m), egg

offrir, to offer

l'oignon (m), onion

l'oiseau (m), bird

l'oiselier (m), bird-seller

l'ombre (f), shadow, shade; à l'ombre, in the shade

l'omnibus (m), slow train

ordonner, to order, arrange

l'ordre (m), order, orderliness

l'oreille (f), ear; tendre l'oreille, to listen carefully

l'oreiller (m), pillow

oublier, to forget

l'ouverture (f), opening

l'ouvreuse (f), usherette, theatre-attendant

l'ouvrier (m), workman

P

le **page**, page-boy
la **paillasse**, laboratory bench
la **paille**, straw
le **pain**, bread; **le pain de savon**, tablet of soap
le **panier**, basket; **le panier à salade**, salad-strainer
la **pantoufle**, slipper
le **papetier**, stationer
le **papier à lettres**, note-paper
le **paquebot**, steamer, liner
le **paquet**, parcel
le **paradisier**, bird of paradise
le **parapluie**, umbrella
le **parasol**, sunshade
le **pardessus**, overcoat
le **pare-brise**, windscreen
pareil, alike; **tout pareil**, exactly alike
le **parent**, parent, relation
paresseux, lazy
le **parfum**, scent, flavour
parfumé, scented, flavoured
le **parterre**, flower-bed
la **partie**, part
le **parvis**, square in front of church
le **passage clouté**, pedestrian crossing
le **passant**, passer-by
se **passer**, to take place
la **passerelle**, gangway; **la passerelle de commandement**, bridge (of ship)
passionnant, exciting
patiemment, patiently
patiner, to skate
la **patte**, paw; **la patte de derrière**, hind leg
pauvre, poor
le **pavillon**, flag
payer, to pay, pay for
le **pays**, country
le **paysage**, landscape

le **paysan**, peasant, countryman
la **paysanne**, countrywoman
la **pêche**, fishing; **aller à la pêche**, to go fishing; **faire (une) bonne pêche**, to have a good catch
pêcher, to fish; **pêcher à la ligne**, to angle
le **pêcheur**, fisherman
peindre, to paint; **peindre à l'aquarelle**, to paint in water-colours
peint, painted
le **peintre**, painter
la **peinture**, painting; **prenez garde à la peinture!** wet paint!
la **pelle**, child's spade
la **pellicule**, film (for camera)
la **pelouse**, lawn; 'pelouse interdite', 'keep off the grass'
se **pencher**, to lean
penser (à), to think (of)
le, la **pensionnaire**, boarder
le **pensionnat**, boarding-school, hostel
la **pente**, slope
le **perchoir**, perch
en **permission**, on leave
le **perron**, flight of steps
le **perroquet**, parrot
le **personnage**, character (in story)
peser to weigh
le **peuplier**, poplar
la **peur**, fear; **avoir peur**, to be afraid
peureux, timid, nervous
le **phare**, lighthouse
le **pharmacien**, chemist
philosophe, philosophical
le **photographe**, photographer
la **photographie**, photograph; **faire une photographie**, to take a photograph
picorer, to scratch about
la **pièce**, room

le **pied**, foot; **le pied à trois branches**, camera tripod; **le pied du lit**, foot of bed; **avoir le pied marin**, to be a good sailor; **poser le pied sur**, to step on
la **pierre**, stone
le **piéton**, pedestrian
le **pin**, pine
la **pince**, claw, pincers
la **pistache**, pistachio
la **piste**, track, runway
le **placard**, cupboard
la **place**, square
la **plage**, beach
plaire, to please
le **plaisir**, pleasure; **faire plaisir à**, to please
le **plan**, plane, plan; **au premier plan**, in the foreground; **à l'arrière-plan**, in the background
le **plancher**, floor
planer, to hover, glide
planter, to plant
la **plaque**, plate (photographic)
le **platane**, plane-tree
le **plateau**, tray
la **plate-forme**, platform (of bus)
pleurer, to cry; **pleurer à chaudes larmes**, to weep bitterly
pleuvoir, to rain; **pleuvoir à verse**, to pour with rain
le **pliant**, folding-stool
plongé, immersed
plonger, to dive
la **pluie**, rain
la **plupart**, most, majority
en **plus**, in addition, extra
la **poêle (à frire)**, frying-pan
le **poil**, hair, fur
le **point de vue**, point of view
le **poisson**, fish
la **pompe à incendie**, fire-engine

la **pompe d'essence,** petrol pump

le **pompier,** fireman

le **pont,** bridge, deck

le **pont-levis,** drawbridge

le **porcelet,** piglet

la **porcherie,** pig-sty

le **port,** harbour, port; **le port militaire,** naval base

la **porte,** door; **la porte battante,** swing-door; **la porte d'entrée,** front (main) door

le **portefeuille,** wallet

porter, to wear, carry; **porter un coup (à),** to deal a blow; **porter un toast,** to drink a toast

le **porte-documents,** dispatch-case

le **porte-serviettes,** towel-rail

le **porteur,** porter

la **portière,** door (of vehicle)

poser, to put; **se poser,** to alight, settle

la **potion,** draught, medicine (liquid)

la **poule,** hen

le **poulet,** chicken

la **poupée,** doll

le **pouls,** pulse; **tâter le pouls à quelqu'un,** to feel someone's pulse

le **pourboire,** tip

pousser, to push, to grow

précipité, hasty

se **précipiter,** to rush; se **précipiter sur,** to pounce on

prendre, to take; **prendre l'air,** to enjoy the fresh air; **prendre part à,** to share in; **prendre plaisir à,** to enjoy

les **préparatifs (m),** preparations

presser, to squeeze

le **prestidigitateur,** conjuror

le **professeur,** grammar school teacher

profiter de, to make the most of

la **promenade,** walk, outing

se **promener,** to go for a walk, an outing

protéger, to protect

punir, to punish

la **punition,** punishment

Q

le **quai,** embankment, quay, platform

le **quartier,** district; **les magasins du quartier,** local shops

la **queue,** tail; **la queue en panache,** waving tail; **la queue en tire-bouchon,** corkscrew tail; **faire la queue,** to queue

R

la **race,** breed

raconter, to relate

le **radio,** wireless operator

la **radio,** wireless

le **raisin,** grapes

la **raison,** reason

ramasser, to pick up

le **rang,** row, line

ranger, to put away; **ranger l'auto,** to draw up the car

le **rapide,** express train

rapporter, to bring back

la **raquette de tennis,** tennis-racket

se **rassembler,** to assemble

rattraper, to recapture; **rattraper le temps perdu,** to make up for lost time

rayé, striped

la **rayure,** stripe

le **rebord,** edge, ledge

récemment, recently

la **recherche,** search

reconduire, to take back

reconnaissant, grateful

reconnaître, to recognize

se **recoucher,** to lie down again

à **reculons,** backwards

redescendre, to bring down again

se **redresser,** to sit up (again), get up (again)

le **réfectoire,** dining-hall

le **reflet,** reflection

le **réfrigérateur,** refrigerator

se **réfugier,** to take refuge

le **regard,** glance

regarder fixement, to stare (at)

la **région manufacturière,** industrial area; **la région minière,** mining area

régler la circulation, to control the traffic

régler un compte, to settle an account

rejaillir, to gush out; **faire rejaillir,** to splash

se **réjouir,** to be happy, rejoice

remarquer, to notice; se **faire remarquer,** to attract attention

remettre, to hand over

la **rencontre,** meeting

la **rentrée,** return

le **repas,** meal

se **reposer,** to rest

la **république,** republic

ressembler à, to resemble

rester, to stay, remain

le **résultat,** result

retirer, to pull out

le **retour,** return

retourner le sol, to turn over the soil

réussir (à), to manage (to), succeed (in)

le **réveil,** awakening

le **réveille-matin,** alarm-clock

réveiller, to wake up, rouse; se **réveiller en sursaut,** to wake up with a start

le revenant, ghost
le réverbère, street-lamp
le rez-de-chaussée, ground floor
le rideau, curtain
rire aux éclats, to laugh heartily
le rivage, shore
la robe, dress
le robinet, tap; ouvrir (fermer) le robinet, to turn on (off) the tap
robuste, strong, sturdy
le roman, novel
ronronner, to purr
la rosace, rose-window
rouler, to roll, travel along
la route, road
le ruban, ribbon
la rue, street
la ruse, trick, trickery

S

le sac, bag; le sac à main, handbag; le sac touriste, rucksack
la sacoche, satchel, wallet
sain et sauf, safe and sound
saisir, to seize; saisi de terreur, terror-stricken
la saison, season
salir, to dirty
la salle, room; la salle à manger, dining-room; la salle de bains, bathroom; la salle de séjour, living-room; la salle de classe, classroom; la salle d'attente, waiting-room; la salle d'emballage, packing-room
le salon, drawing-room, lounge
la salopette, workman's overalls
le sapin, fir
la saucisse, sausage (to cook)
le saucisson, 'dry' sausage, salami

sauter, to jump, explode; sauter à cloche-pied, to hop on one leg; sauter à la corde, to skip (with rope)
sauver, to rescue
scandalisé, shocked
le scaphandrier, diver (in suit)
la scène, stage, scene
le sculpteur, sculptor
le seau, bucket
sécher, to dry
le secours, help; au secours, to the rescue
la semaine, week
semblable, similar
le sentiment, feeling
(se) sentir, to feel
serrer, to squeeze, clasp
de service, on duty
le service canon, cannonball service
la serviette (de toilette), towel
servir, to serve; se servir de, to use; à quoi sert ..., what is the purpose of ...
seul, alone, only
le short, short trousers
le siècle, century
le singe, monkey
situé, situated
la société, companionship
la soirée, evening; en tenue de soirée, in evening dress
le soldat, soldier
le solde, bargain, remnant; au moment des soldes, when the sales are on
au soleil, in the sun
sommeiller, to doze
le son, sound
songeur, meditative
sonner à la porte, to ring the door-bell
la sonnette, bell; le coup de sonnette, ring
la sorte, kind; de la sorte, in that way

la sortie, exit
soucieux, worried, anxious
la soucoupe, saucer
le souffle, breath; retenir son souffle, to hold one's breath
soulever, to raise
la soupe, soup
la soupière, soup-tureen
souriant, jolly, pleasant
sourire, to smile
le sourire, smile
la souris, mouse
la soutane, cassock
le souvenir, memory
le spectre, ghost, apparition
la station, Underground station, small country station; la station-service, service-station
stationner, to stand, be parked
le succès, success
la suite, consequence; par suite de, as a result of
suivre, to follow
sujet, subject, prone
superbe, proud, magnificent
le supermarché, supermarket
surtout, above all, especially
le surveillant, supervisor
surveiller, to keep an eye on
survenir, to happen, occur
survoler, to fly over
suspendu, hanging

T

le tableau, picture (framed)
le tablier, apron
le tabouret, stool
se taire, to be silent
tanguer, to pitch and toss
taper, to tap
le tapis, carpet; le tapis roulant, conveyor belt
la tapisserie, tapestry

tard, late

le tas, pile

le téléviseur, television set

la tempête, storm

tenir, to hold; se tenir, to be (standing, etc.)

la terrasse, terrace, pavement occupied by tables of café

la tête, head

têtu, stubborn

le thon, tunny

la tige, stem

le tir à la carabine, shooting gallery

tirer, to pull, shoot

le tissage, weaving

le titre, title

la toilette, toilet; faire sa toilette, to wash and dress; la table de toilette, dressing-table

le toit, roof

le tombeau, tomb

la tombée, fall

tomber, to fall; tomber par terre, to fall on the ground; faire tomber, to knock down; laisser tomber, to drop, spill

le ton, tone; d'un ton cassant, curtly

tondre, to mow

tordre, to twist; se tordre de rire, to shake with laughter

la torpédo sport, open sports car

toujours, always

le tour, turn, tour, trick

la tour, tower; la tour de contrôle, control-tower

la tourterelle, turtle-dove

le transat, deck-chair

le train de banlieue, suburban train

le train de grande ligne, main line train

la traîne, train (of dress)

travailler, to work

traverser, to cross, go through

le trépied, tripod

le tricot, knitting, pull-over

tricoter, to knit

la trompe, trunk

se tromper, to make a mistake, be mistaken

le trottoir, pavement

le trou, hole; le trou d'air, air-pocket

la truie, sow

tuer, to kill

la tuile, tile

la tulipe, tulip

le turbo-réacteur, turbo-jet (engine)

U

l'usager (m) de la route, road-user

l'usine (f), factory, works; l'usine de tissage, cloth factory

V

les vacances (f), holidays; en vacances, on holiday

vain, useless, fruitless

la valise, suitcase

la vanille, vanilla

le vase, vase

le vélo, push-bike

la vendange, grape-harvest

la vendangeuse, woman grape-picker

le vendeur, la vendeuse, shop-assistant

vendre, to sell

venir d'acheter, to have just bought

le vent, wind

la vente, sale; en vente, on sale

le verre, glass

verser, to pour

le vestibule, entrance-hall

la viande, meat

vide, empty

vider, to empty

la vie, life

le vieillard, old man

la vigne, vine, vineyard

la ville, town; en ville, in (into) town; la Ville Lumière, City of Light (Paris)

le vin, wine

la visite, visit; rendre visite à, to visit

virer, to turn, bank

la vitesse, speed

les vitraux (m), stained-glass windows

voguer, to sail

voisin, neighbouring; le voisin, neighbour

la voiture, vehicle, car, railway-coach; en voiture! all aboard!; la voiture d'enfant, perambulator; la voiture 'sans chevaux', vintage car

le vol, flight; le vol de jour, day-flight; le vol de nuit, night-flight

le volant, steering-wheel

voler, to fly, steal

le volet, shutter

la voltige, mounted gymnastics

le voltigeur, trick-rider

le voyage, journey

voyager, to travel

le voyageur, traveller, passenger

la vue panoramique, panorama

W

le wagon, railway-coach; le wagon-lit, sleeping-car; le wagon-restaurant, dining-car

Y

les yeux (m), eyes; les yeux écarquillés, with staring eyes

Z

zébré, striped